W9-BNL-542

Purchased from
Multnomah
County Library

THE TITLE WAVE
USED BOOKSTORE

LILA PRAP

¡¿DINOSAURIOS?!

–¡Noticias asombrosas, queridos míos! ¡Noticias asombrosas! Hallé un libro detrás del granero, con fotos y noticias de los animales más extraños que te puedas imaginar. ¿Y a que no adivinas lo que dice al final? ¡Se supone que estos bicharracos son nuestros antepasados! ¡Se llaman DINOSAURIOS!

–¡¿DINOSAURIOS?!

–¡Muéstranos el libro! ¿Qué otra cosa dice? ¡Cuéntanos lo que sabes!

Prap, Lila
    ¡¿Dinosaurios?! / Lila Prap ; ilustrado por Lila Prap. - 1a ed. - Buenos Aires: Unaluna, 2010.

    32 p. : il. ; 24 x 24 cm.

    ISBN: 978-987-1296-67-5 (Argentina)

    ISBN: 978-84-937557-0-6 (España)

    1. Literatura Infantil Eslovena. I. Prap, Lila, ilus. II. Título
    CDD 891.8

Título Original: *Dinozavri?!*

Texto e ilustraciones: Lila Prap

Traducido por: Jeannine Emery

ISBN: 978-987-1296-67-5 (Argentina)
ISBN: 978-84-937557-0-6 (España)

© Mladinska Knjiga Zalozba, d.d., Ljubljana 2009
© Unaluna, 2010
© Editorial Heliasta SRL, 2010

Distribuidores exclusivos: Editorial Heliasta SRL
Juncal 3451 (C1425AYT) Buenos Aires, Argentina
Teléfono - Fax: (54-11) 4804-0472 / 0119 / 8757 / 0215
editorial@unaluna.com.ar / www.unaluna.com.ar

No se permite la reproducción total o parcial de este libro ni su traducción ni su incorporación a un sistema informático ni su locación ni su transmisión en cualquier forma o por cualquier medio, sea éste digital, electrónico, mecánico, por fotocopia, por grabación u otros métodos, sin el permiso previo y escrito de los titulares del copyright.

Queda hecho el depósito que establece la Ley 11.723.
Libro de edición argentina.
Impreso en China, marzo 2010.

LILA PRAP

¡¿DINOSAURIOS?!

¿Qué significa
la palabra
DINOSAURIO?

unaluna

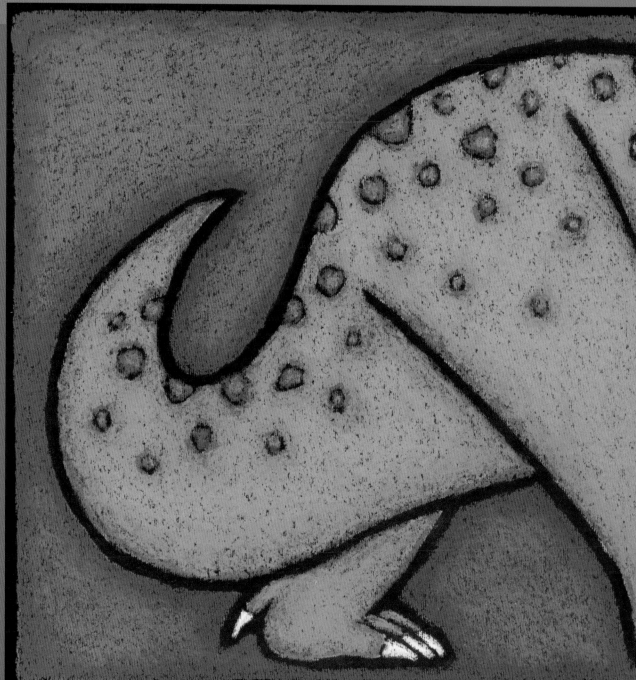

¿Por qué no los llamaron GALLINAS TERRIBLES, si fueron nuestros antepasados?

¡Éstos no son mis antepasados! ¡Jamás tuvimos tipos de aspecto tan extraño en mi familia!

¿Nosotros también seremos verdes y dentudos cuando seamos grandes?

FICA LAGARTO TERRIBLE

En los antiguos tiempos, cuando las personas encontraban huesos, solían pensar que eran los restos de dragones o de alguna otra criatura mágica. Pero hace doscientos años, los científicos se dieron cuenta de que esos huesos pertenecían a un grupo particular de reptiles que se había extinguido. Los reptiles que aún siguen vivos hoy incluyen a los cocodrilos, lagartos, culebras, tortugas... Como los animales que se extinguieron eran tan grandes, los científicos los nombraron DINOSAURIOS, que significa LAGARTOS TERRIBLES. Además de los huesos, hallaron otros restos, que les dieron pistas para saber cómo era su aspecto, cómo vivían, y que fueron los antepasados de las aves.

¡Si eran antepasados nuestros, debieron tener pico!

Uno de los dinosaurios más temibles fue el **TIRANOSAURO REX** o el **REY LAGARTO TIRANO**. Era alto como una jirafa, medía como cuatro autos puestos en fila, y era tan pesado como un elefante.

Caminaba sobre sus patas traseras y tenía los dientes tan afilados como cuchillos, porque era carnívoro y se alimentaba de otros dinosaurios. El hallazgo de sus huellas nos permite saber que el cuerpo del tiranosauro estaba cubierto de escamas, como el de todos los reptiles. Pero nadie sabe de qué color era, porque los colores de la piel del dinosaurio no se han conservado.

¿Por qué llevaban semejante collarín? ¿Para evitar el dolor de cuello?

¡Que yo sepa, lo llevaban porque estaba de moda en esa época!

¿Y por qué tenían tres cuernos? ¿Acaso no podían decidir si querían ser vacas o rinocerontes?

¡VIERON PICO!

Hay muchas especies de dinosaurios, porque éstos evolucionaron a lo largo de un período de tiempo muy extenso. Se han encontrado restos de dinosaurios que tenían mandíbulas y dientes, como los lagartos y cocodrilos, y otros que tenían en la porción frontal de sus mandíbulas un gran pico. Algunos de los dinosaurios con pico carecían de dientes, y algunos tenían hasta mil dientes en la parte posterior de sus mandíbulas, detrás del pico. La familia de los dinosaurios con cuernos tenía un pico de loro para arrancar hojas, y podía tener hasta cinco cuernos.

¿Quieres decir que estos "rinocerontes" ponían huevos, también, como las gallinas?

El **TRICERATOPS** –palabra que significa rostro con tres cuernos– medía como dos autos puestos en fila y pesaba como cinco rinocerontes juntos. También caminaba sobre cuatro patas, como un rinoceronte.

Su cabeza era más grande que el cuerpo de un adulto. Comía hierbas o arbustos y tenía el cuello protegido por una gran placa ósea que lo resguardaba de las mordeduras de depredadores. De sus

tres cuernos, los dos más extensos eran más largos que un niño de siete años. Ahuyentaba a sus atacantes con sus cuernos; también los empleaba para luchar contra otros machos por las hembras.

¿Qué tamaño tenían los huevos de los dinosaurios más grandes? ¿Eran tan grandes como una casa?

¡Dudo de que cualquiera de ellos pudiera poner huevos más grandes o bonitos que mis gallinas!

¿Puede alguien decirme quién vino primero, el huevo o el dinosaurio?

¡IGUAL QUE LAS GALLINAS!

Además de restos de dinosaurios, también se han encontrado muchos nidos con huevos de dinosaurio. Los huevos de los dinosaurios más grandes no eran tan enormes como te imaginarías. El huevo más grande que se ha hallado era del tamaño de una pelota de básquet. Los huevos eran sumamente duros, y eran muy difíciles de romper por depredadores, en caso de que el nido quedara desatendido. Los padres hacían todo lo posible para proteger su nido, pero eran impotentes ante los animales rapaces más grandes.

¿Existió algún dinosaurio que pudo defenderse contra el tiranosauro más grande?

Mientras buscaban huesos de dinosaurios, los científicos hallaron un nido perfectamente bien conservado de un **MAIASAURA**, o **LAGARTO BUENA MADRE**. Conocido como el dinosaurio de pico de pato, el maiasaura tenía el tamaño de un autobús. Vivía en manadas, se alimentaba de plantas, y criaba a sus pichones en nidos cavados en la tierra, poniendo de 30 a 40 huevos por vez, del tamaño de huevos de avestruz. Los padres cuidaban de la cría hasta que aprendían a valerse por sí mismas, alimentándolos con hojas que trituraban con sus mil dientes.

¿Por qué tiene una maza en la cola? ¿Será para matar moscas?

Les servía para mantenerse en forma, levantando pesas.

¡O para golpearse la cabeza, cuando no podía recordar algo!

¡MUY BUENA PROTECCIÓN!

Los dinosaurios comedores de plantas se protegían de sus atacantes de muchas maneras. Algunos estaban cubiertos de corazas y pinchos, otros podían salvarse corriendo para escapar de sus atacantes, o adoptando el mismo color que su entorno. Los dinosaurios que tenían pinchos sobre el lomo y una gran maza en la cola eran los más difíciles de someter. Por eso sobrevivieron hasta el final de la era de los dinosaurios.

¿Mi tío tataraabuelo tenía pinchos como un puercoespín y una maza en la cola? ¿Alguien tiene un antepasado más extraño que éste?

El **ANKILOSAURO**, miembro de la familia de los **DINOSAURIOS ACORAZADOS**, era tan alto como un rinoceronte y casi el doble de largo. Era un pacífico comedor de plantas. Para protegerse contra los depredadores, tenía un caparazón duro sobre su cabeza, y el lomo cubierto de pinchos. Su cola era como una maza, con una gran pelota de hueso en el extremo, que podía incapacitar a cualquier depredador. Con un golpe directo de su cola, un ankilosauro podía derribar a un dinosaurio, incluso más grande que él mismo.

¿Tenían esas orejas enormes para oír mejor?

¡Tal vez fueran abanicos que usaban para abanicar a otros dinosaurios cuando hacía calor!

¡Y tenían púas en la cola para rascarse cuando les picaba!

PLACAS SOBRE LA ESPALDA!

Los científicos siempre intentan encontrar nuevas especies de dinosaurios. Algunas veces demoran años en descubrir la función de alguna parte del cuerpo de los dinosaurios. Cuando excavaron y encontraron por primera vez dinosaurios que tenían crestas extrañas en el lomo, creyeron que estas salientes con forma de placas estaban dispuestas sobre el lomo como tejas de techo. Hoy creen que las placas estaban en posición vertical y tal vez ayudaran a los dinosaurios a calentar o enfriar el cuerpo.

¡Qué tío tatara-abuelo tan extraño! ¡Tan grande y con una cabeza tan pequeña!

Los **ESTEGOSAURIOS**, o **LAGARTOS TECHO**, fueron la primera especie que se descubrió del enorme grupo de dinosaurios con placas en la espalda.

El estegosaurio era un comedor de plantas, y medía como dos autos puestos en fila. A pesar de ello, tenía una cabeza muy pequeña, que no superaba en tamaño a la

de un perro. Pero las placas más grandes en la espalda eran más altas que un niño de tres años. Avanzaba lentamente y se protegía con dos grandes púas en la cola.

Nosotras, las gallinas, también tenemos cabezas pequeñas... ¡Y nos sienta muy bien!

¡Seguramente, no se destacaban por su inteligencia! ¿Pero por qué tenían un chichón en la cabeza?

¡Porque se golpearían la cabeza contra las ramas de los árboles, por ser tan altos!

NÍAN CABEZAS PEQUEÑAS!

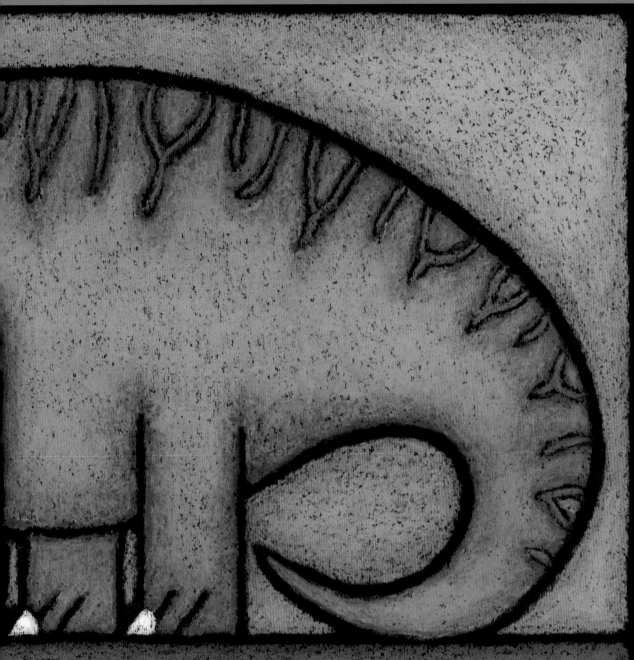

El dinosaurio más grande que se descubrió parece una jirafa. Tenía cuello largo, para poder alcanzar las hojas sobre los árboles más altos. Con sus dientes en forma de espátula arrancaba las hojas de las ramas, y luego las trituraba en su estómago con las piedras que tragaba. Su cabeza era muy pequeña comparada con su cuerpo. No había lugar para un cerebro grande en un cráneo tan pequeño. Pero no necesitaba un gran cerebro, porque era tan enorme, que ningún depredador se animaba a atacarlo.

¡Qué antepasados tan raros! ¿Habría algún otro con chichones extraños en la cabeza?

Uno de los dinosaurios más grandes que se halló es el **BRACHIOSAURIO**, que significa **LAGARTO BRAZO**. Fue nombrado así porque sus miembros anteriores eran más largos que sus miembros traseros, algo poco frecuente entre los dinosaurios. Tenía el tamaño de un edificio de tres pisos y pesaba como diez elefantes. Al principio, los científicos creían que respiraba por un hueco en la cresta de la cabeza, que usaba cuando se sumergía en el agua. Pero más adelante se descubrió que vivía sobre la tierra.

Esa cúpula parece el cabello de una mujer que se puso demasiada laca.

¡Creo que llevaban una gorra que se endureció por no lavarla nunca!

¡Tal vez se les endureció la cabeza, porque los llamaron cabeza dura demasiadas veces!

ÓSEA EN EL CRÁNEO!

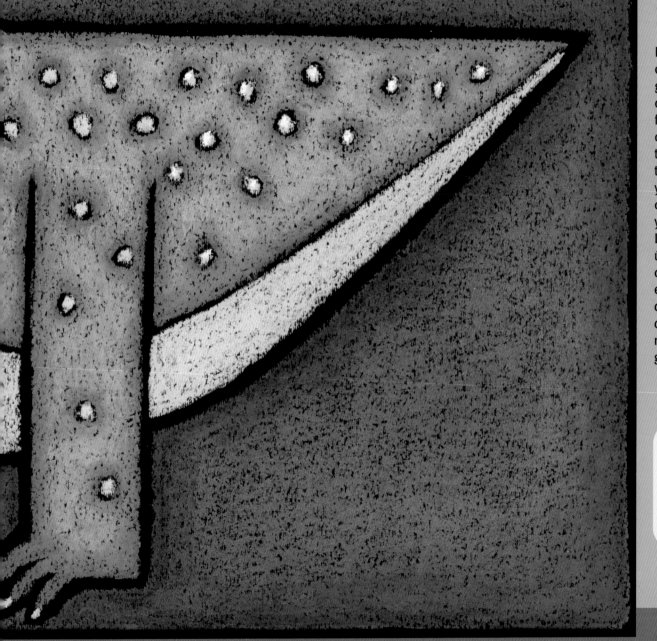

Perteneciente a la familia de los dinosaurios de cráneo grueso, los stegoceras tenían cráneo muy robusto y de forma rara. Los dinosaurios de cráneo duro variaban en tamaño. Los más grandes tenían el tamaño de un autobús, y el cráneo era tan grande como una máquina de lavar, y tan grueso como una pared. La cúpula craneal era su única forma de defenderse contra los depredadores. Si embestían a otro dinosaurio que los estaba amenazando, con toda su potencia, podían romperle los huesos con su grueso cráneo.

¡Increíble! ¿Habrá una cabeza más extraña que ésa?

El **STEGOCERAS**, cuyo nombre significa **TECHO CÓRNEO**, tenía el tamaño de un caballo. La parte superior del cráneo eran tan gruesa como un ladrillo y tenía un semicírculo de protuberancias óseas.

Como todos los dinosaurios de cráneo grueso, el stegoceras era un comedor de plantas y vivía en manadas. Cuando no usaba el cráneo para embestirse con otros en la época de apareamiento, o

defenderse de los depredadores, paseaba entre la vegetación de manera pacífica, arrancando hojas de pequeños árboles y arbustos, con sus dientes aserrados.

¿Por qué estos tíos tataraabuelos tenían tubos tan extraños sobre la cabeza?

Seguramente deseaban un pico largo, y éste creció hacia atrás.

¡O tal vez se comieron un tubo y se les quedó clavado en la garganta!

MÁS EXTRAÑAS!

Es uno de los dinosaurios de pico de pato más raros, por las crestas. Ni siquiera hoy saben para qué servía. Estos dinosaurios vivían en grandes manadas, cerca de pantanos. Tenían varias hileras de dientes en la parte posterior de las mandíbulas, que usaban para triturar las plantas, después de tomarlas con sus picos. Sus patas estaban provistas de cascos, en lugar de garras, para no hundirse en los lodazales.

¡Debe de ser la cabeza más rara que existe!

El nombre del **PARASAUROLOPHUS** hace referencia al parecido con el **SAUROLOPHUS**, también conocido como **LAGARTO CON CRESTAS**. La cresta sobre su cabeza parecía un tubo hueco y medía como un hombre adulto. Este tubo estaba conectado con la cavidad nasal, y, por eso, al principio, creyeron que servía como un esnórkel, para que el dinosaurio respirara debajo del agua.

Pero como el extremo superior del tubo no tenía un agujero, ahora se cree que tenía una función sonora, como una corneta.

CABEZAS DE COCODRILO!

Hace muchos, muchos años, algunas regiones estaban completamente cubiertas de pantanos y ríos serpenteantes. Allí los científicos descubrieron los restos de un dinosaurio con cabeza de cocodrilo. Sus dientes y mandíbulas eran muy parecidos a los del cocodrilo actual, que se alimenta mayormente de pescado, por lo que creen que este dinosaurio también comía peces, que atrapaba vadeando las aguas.

¿Existió algún dinosaurio que pudiera nadar bajo el agua, y no sólo vadear por la parte poco profunda del mar?

El **SUCHOMIMUS**, que significa **IMITADOR DE COCODRILO**, era tan grande como el tiranosaurio. Poseía una cresta vertical sobre el lomo, sostenida por las vértebras dorsales. Debía comer mucho pescado para llenar el estómago, aunque algunos pescados tuvieran el tamaño de un auto. El suchomimus no era la única criatura que acechaba ríos y lagos, a la caza de peces. Los parientes de los cocodrilos actuales también vivieron durante la misma era, y eran aun más grandes que el suchomimus.

¡Éste se parece a una víbora que se tragó una tortuga!

¡Y después se cosió un cierre en la boca para que la tortuga no pudiera escapar!

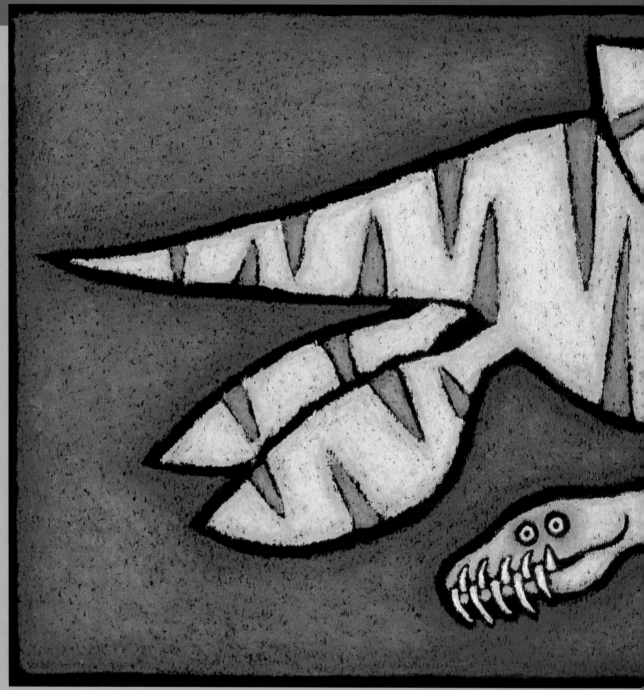

¡Tal vez le dijeron que se abrochara la boca, porque hablaba demasiado!

NADARON DEBAJO DEL AGUA!

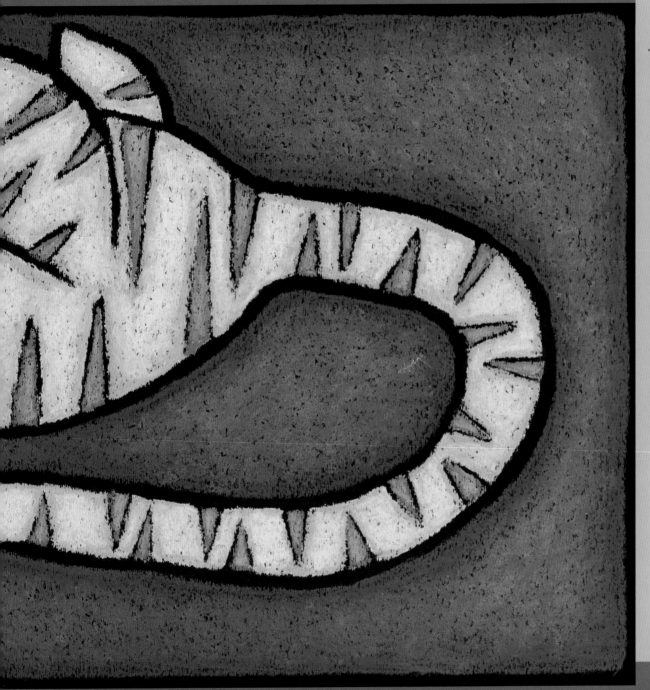

★ Mientras los dinosaurios dominaban el mundo, sus parientes, los reptiles marinos, nadaban en las profundidades del océano. También hubo muchos otros animales que todavía conocemos hoy que vivían en el mar en aquella época: medusas, caracoles de mar, mariscos, cangrejos, corales, y también muchas especies de pescados, incluyendo los tiburones. Los reptiles marinos desaparecieron en la misma época que los dinosaurios. Y aunque muchos eran enormes, ninguno superó en tamaño a la ballena azul.

Hmm, así que no podíamos nadar porque gobernábamos la tierra. ¿Pero quién gobernaba el aire?

El **ELASMOSAURO**, uno de los tantos reptiles marinos, era tan largo como dos veleros puestos en fila. Tenía dos pares de aletas que usaba como remos para impulsarse en el agua, una cabeza pequeña, y un cuello largo y flexible. Sus dientes se entrelazaban para formar una jaula, que atrapaba a cualquier animal que entrara en su boca. A diferencia de la mayoría de los dinosaurios, es muy probable que el elasmosauro diera a luz a sus crías vivas. Era demasiado torpe para llegar hasta la arena y poner huevos.

¿Por qué tenían una cresta tan grande en la parte de atrás de la cabeza?

Que yo sepa, querían tener dos picos, uno delante y otro detrás de la cabeza.

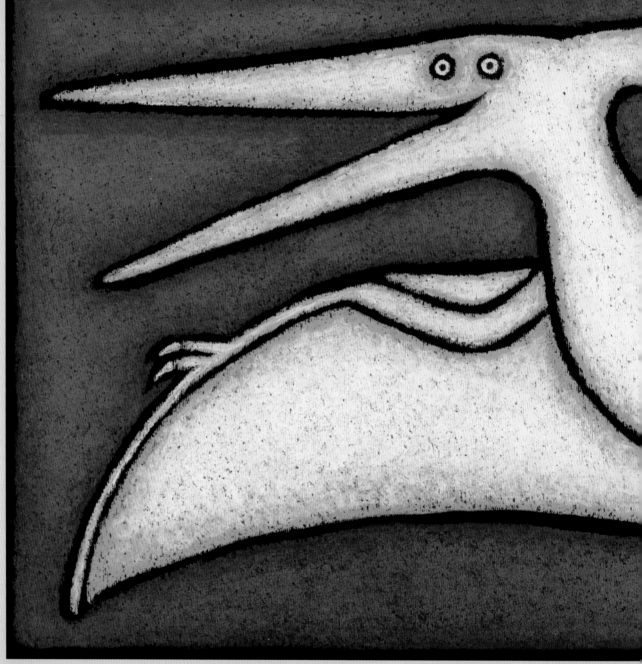

Tal vez tenían una hélice en la cabeza para despegar más rápido.

...BERNABAN LOS CIELOS!

Mucho antes de que aparecieran los primeros pájaros, los reptiles alados, parientes de los dinosaurios, planeaban sobre la Tierra. Sus alas eran membranas de piel, como las alas de los murciélagos actuales. Algunos eran tan pequeños como gorriones, y otros tan grandes como aviones. Los primeros reptiles voladores tenían dientes y largas colas, pero luego dieron lugar a reptiles voladores con colas más cortas y crestas en la cabeza. Estos reptiles también se extinguieron al mismo tiempo que los dinosaurios.

¡Nuestros parientes más lejanos podían volar, pero los dinosaurios, no! ¿Entonces qué tienen que ver los dinosaurios con los pájaros?

El **PTERANODON**, que significa **ALADO Y SIN DIENTES**, podía cubrir el techo de una pequeña casa, si extendía todo el ancho de sus alas. Tenía una prolongación a modo de cresta en la cabeza. Los científicos creen que esta cresta ayudaba al pteranodon a mantener el equilibrio mientras volaba. El pteranodon era un comedor de peces. Atrapaba los peces descendiendo en picada sobre la superficie del mar y usando su pico a modo de pala para capturar el agua y todo lo que nadaba en ella. Una bolsa bajo el pico le permitía almacenar pescado, al igual que el pelícano de la actualidad.

Éste se parece a un lagarto que juega al poliladron. ¿Por qué tenía garras tan grandes en las piernas?

¡Para cortar el césped, por supuesto!

O tal vez, para engancharse en una rama, hamacarse y practicar cómo volar.

¡CUBIERTOS DE PLUMAS!

Los paleontólogos –científicos que estudian los animales que se han extinguido– han encontrado impresiones claras de plumas junto a los esqueletos de pequeños dinosaurios carnívoros. De los animales actuales, sólo los pájaros tienen plumas. Basándose en las impresiones de plumas y otras pistas, los científicos han concluido que los dinosaurios no se han extinguido por completo, como creyeron al principio. Al contrario, los pájaros evolucionaron a partir de los dinosaurios emplumados.

¿Qué tal si estos dinosaurios sólo dormían en colchón de plumas? ¿Cuáles serán esas otras pistas?

El **VELOCIRAPTOR**, o **LADRÓN ÁGIL**, le llegaba por la cintura a una persona adulta. Era uno de los dinosaurios más agresivos, y tan rápido que pocas criaturas podían huir de él. Hundía sus garras afiladas en la víctima, y la despedazaba con sus dientes aserrados. El velociraptor tenía el cuerpo cubierto de plumas. Los científicos han descubierto protuberancias para plumas de aves sobre algunos huesos de velociraptor, donde pudieron estar adheridas las plumas, igual que en los pájaros.

¡Si éste tiene algún parecido conmigo, yo me consigo una cara nueva! ¿Por qué tenía dos púas dentro del pico?

¡Para morderse la lengua si decía una tontería!

¡O para que los caracoles pudieran deslizarse dentro de su pico!

L ASPECTO DE PÁJAROS!

Los dinosaurios emplumados y carnívoros tenían muchas similitudes con los pájaros. Sus huesos eran livianos, huecos y llenos de aire, algo característico de los pájaros, y su forma era similar. Tenían plumas en sus miembros delanteros y en algunas otras partes del cuerpo, para poder empollar huevos, igual que los pájaros. Es cierto, no podían volar con las plumas que tenían, pero se parecían a los pájaros actuales en otros aspectos.

Si no podían volar, sólo pueden ser antepasados de los avestruces, no de todos los pájaros.

El **OVIRAPTOR** o **LADRÓN DE HUEVOS**, tenía una cresta con forma extraña en la cabeza, y dos púas afiladas sobre el paladar en el pico que le permitían triturar las conchas de los moluscos. Le llegaba a la altura del pecho de un adulto. Fue nombrado erróneamente, ya que sus fósiles se hallaron cerca de un nido que se asumió que pertenecía a otro dinosaurio. Posteriormente, se descubrió que los huevos pertenecían al propio oviraptor.

Pero, ¿por qué tenían dedos en las alas? ¿Para hacerle cosquillas a otros dinosaurios?

¡O saludarlos cuando pasaran volando!

¿Por qué no tenemos dientes? ¿Se nos habrán caído por no lavarlos con regularidad?

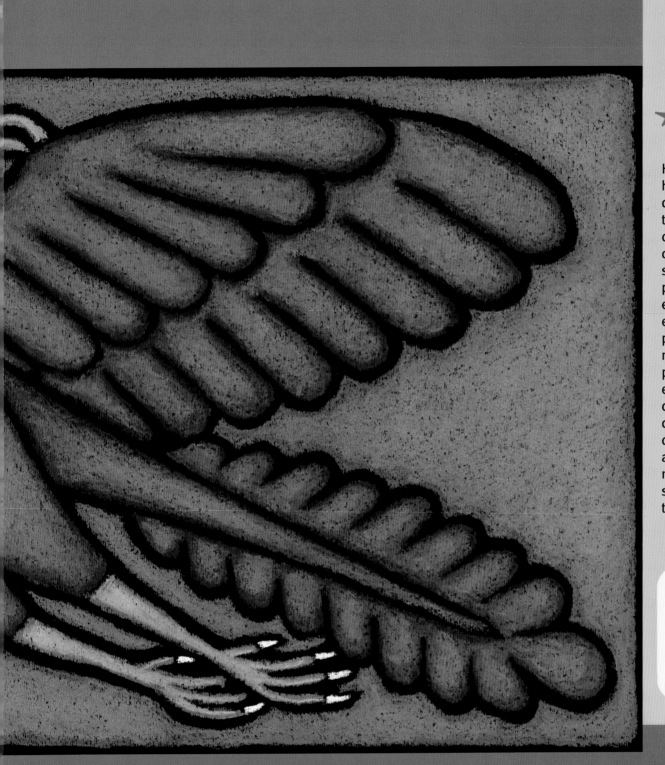

Hace más de cien años, se hallaron restos de un animal que se parecía al mismo tiempo a un pájaro y a un dinosaurio. Su esqueleto era como el de un dinosaurio, y sus alas, como las de un pájaro. Tenía un cuerpo emplumado y plumas para el vuelo que le permitían planear. Todos los pájaros modernos evolucionaron a partir de antepasados como este medio pájaro, medio dinosaurio. Así que los descendientes de los dinosaurios que aprendieron a volar siguen viviendo con nosotros. Y como las gallinas son pájaros, sus antepasados también son los dinosaurios.

De ahora en más, ¡mi nombre es Pollosauro Rex!

El **ARCHAEOPTERYX** o **PÁJARO ANTIGUO** es el primer pájaro que se conoce. Evolucionó en una época en que los dinosaurios más grandes habitaban la Tierra y los más grandes reptiles voladores surcaban los cielos. El archaeopteryx desciende de un pequeño dinosaurio carnívoro. A diferencia de los pájaros actuales, tenía una mandíbula con dientes, mandíbulas poderosas, y una cola larga y huesuda. En los pájaros, la mandíbula se transformó en pico, y todas las partes que dificultaban el vuelo se atrofiaron: los dientes, las colas huesudas, las garras en las alas, etc.

DINOSAURIOS O L

A continuación mencionamos sólo los dinosaur
Hubo muchas otras especies de dinosaurios

ELASMOSAURO
Vivió hace 85-65
millones de años.

¡Aquí puedes ver el
parentesco cercano que
tenían los dinosaurios
entre sí!

ARCHAEOPTERYX
Vivió hace 150-145
millones de años.

BRACHIOSAURO
Vivió hace unos 145-15
millones de años.

SUCHOMIMUS
Vivió hace 125-112
millones de años.

VELOCIRAPTOR
Vivió hace 75-70
millones de años.

OVIRAPTOR
Vivió hace 75
millones de años.

Todas las aves
de hoy, incluyendo
las GALLINAS.

¡Y todos se han extinguido,
excepto nosotros! ¡Qué suerte
tengo de que mis antepasados
vivieron y tuvieron hijos, que
luego tuvieron sus propios hijos,
o yo no habría nacido!

TIRANOSAURIO REX